LES CHEMINS DE L'ÉCOLE

Francklyn
– Madagascar –

∭Nathan

Je m'appelle Francklyn et j'ai treize ans. J'habite Madagascar, une grande île qui se situe dans l'océan Indien, à l'est de l'Afrique. Il y a onze enfants dans ma famille. Mon frère et moi sommes les deux seuls garçons.

Le dimanche, nous devons parcourir vingt kilomètres à travers la savane pour nous rendre à l'école. Cela nous prend cinq heures, ce qui nous oblige à dormir loin de notre famille toute la semaine jusqu'au vendredi soir où nous parcourons le chemin en sens inverse.

Chapitre 1

Aujourd'hui, mon grand frère Olivier a promis de me laisser conduire la vieille charrette. J'ai le sourire aux lèvres alors que je fais passer les rênes de cordes par-dessus les têtes de Maharo et Feno, les deux zébus qui vont nous emmener jusqu'au puits. Maharo a une robe brune, Feno une blanche. Je préfère Feno. Quand je plisse les yeux, que je regarde attentivement ses petites taches noires, j'ai parfois l'impression de voir des bateaux naviguer entre les îles d'une mer de lait.

— Francklyn ? Tu m'aides ? me demande Olivier, en me désignant du menton les bidons en plastique jaune qu'il reste à charger à l'arrière de la charrette.

Olivier me reproche souvent d'être dans la lune. Il a raison, j'adore flâner le nez en l'air, observer ce qui m'entoure, me poser des milliers de questions et en imaginer les réponses. Pourquoi y a-t-il tant d'espèces d'orchidées ? Est-ce que les abeilles ont leurs préférées ? Est-ce que c'est la couleur ou la forme qui oriente leur choix ? Olivier est plus terre à terre. D'ailleurs, quand il sera grand, il veut devenir médecin. Nous sommes très différents, c'est certain, mais j'adore mon grand frère : il veille sur moi.

Demain, quand nous traverserons la savane à pied pendant cinq heures pour nous rendre jusqu'à notre école, à Betioky, je sais que je pourrai compter sur lui.

Je me précipite pour l'aider. Nous finissons de charger les dix bidons dans la charrette en bois et, heureux, je monte sur le siège du conducteur. Je donne fièrement le signe du départ. Olivier saute à l'arrière alors que les zébus prennent paresseusement le chemin du puits. Leurs sabots foulent le sable, soulevant la poussière scintillante dans la lumière de l'après-midi. Feno baisse la tête et secoue ses longues cornes pour chasser les mouches qui s'agglutinent autour de ses yeux. Je sens les rênes de cordes frotter les paumes de mes mains. Les roues fatiguées de la charrette en bois lancent leurs plaintes grinçantes dans la chaleur de l'après-midi.

Chapitre 2

Comme tous les samedis, nous partons chercher l'eau pour toute la semaine. Il n'y a pas d'eau courante à Andranotakatse, notre village. Il est situé au sud de Madagascar, où le climat est très chaud et très sec. Or l'eau est très précieuse pour la ferme : ma mère en a besoin pour faire la cuisine, mon père pour ses

cultures et l'élevage des bêtes. Voilà pourquoi, malgré la température étouffante,
Olivier et moi empruntons la route du puits
qui serpente à travers la savane. Devant les
zébus, la plaine s'étend jusqu'à l'horizon,
dont la chaleur fait danser les contours.
Entourés de buissons de cactus, quelques
acacias dressent fièrement leur feuillage
vert olive en direction du soleil.

— Passe sur la gauche, me conseille
patiemment Olivier, alors que nous ap-
prochons de l'enclos de branches d'arbre-
pieuvre qui entoure le trou béant.

Il y a beaucoup de monde. Des mères
de familles, des paysans, des éleveurs. Nous
attendons sagement notre tour. Heureuse-
ment, Dany, un éleveur qui connaît bien
notre père, nous aide à charger les bidons :
une fois remplis, ils pèsent vingt kilos !
Au total, nous repartons avec deux cents

kilos d'eau dans la charrette. Cette fois, pas de négociation possible, c'est Olivier qui conduit!

Chapitre 3

Quand nous revenons du puits, l'air s'est rafraîchi. Le soleil caresse la cime des baobabs. Efitohagna, notre père, nous attend à la porte de la ferme. C'est une toute petite maison de terre avec un toit en paille. Notre père nous aide à décharger la charrette, puis il s'installe avec Olivier à l'ombre de l'immense flamboyant du jardin pour surveiller nos devoirs. Il nous dit tout le temps que l'éducation est primordiale. Dans notre pays, la plupart des gens ne savent ni lire ni écrire. Devenir éleveur de zébus est souvent le seul horizon dans la vie des jeunes garçons. Mais mon père refuse de se résigner. Il est l'unique fermier d'Andranotakatse à savoir lire et écrire. À la mort de mon grand-père, il a été contraint d'arrêter ses études pour venir s'occuper de ma grand-mère et de la ferme. Je sais que nous envoyer à l'école est aussi un sacrifice. Il y consacre presque toutes ses économies. Sans compter que quand nous étudions nous sommes absents toute la semaine. Il a été obligé d'embaucher quelqu'un pour l'aider à garder son troupeau de vingt-cinq zébus. Selon la tradition, c'est Olivier ou moi qui devrions reprendre la garde du cheptel. Mes parents en ont décidé autrement. C'est pourquoi nous faisons de notre mieux pour réussir. Mon rêve, c'est de devenir maire du village, pour pouvoir aider mon père en retour. Quand je serai maire, je ferai construire une école et un puits.

Pendant qu'Olivier révise, je m'allonge sur les genoux de ma mère. J'ai les cheveux infestés de poux, alors elle m'épouille à la main en me sermonnant avec douceur.

– Tu me promets de bien travailler pendant la semaine, Francklyn ? C'est important d'étudier. C'est une vraie chance.

Je l'écoute distraitement. J'ai conscience de l'importance de mes études. J'ai vraiment envie d'être élu maire du village et je veux m'en donner les moyens. Mais je n'ai que treize ans, et parfois je suis jaloux de ma petite sœur qui s'endort près de nous sans penser à demain. J'aimerais avoir sa vie d'enfant.

— Nous, ici, nous travaillons dur pour vous permettre d'étudier, continue ma mère. Alors, ne flânez pas le soir, apprenez bien vos leçons, c'est promis ?

Elle me caresse les cheveux. Je regarde fixement l'ombre de mes grandes sœurs qui pèlent les racines de manioc en chantant en malgache. Elles aussi iront à l'école demain, mais comme elles sont plus âgées, c'est une école différente, plus proche de la ferme. La tristesse m'envahit. J'ai toujours la même sensation le samedi soir, quand la nuit approche : comme une lourde noix de coco qui me comprime le ventre. J'appelle ça coco-kibo.

L'école est si loin de la maison que nous ne pouvons pas faire le chemin chaque jour. Ma mère et mon père nous louent une petite case de six mètres carrés à Betioky. Cela signifie que pendant cinq jours Olivier

et moi vivons loin de nos parents et sans aucune possibilité de communiquer avec eux. C'est dur pour moi. Ma mère me manque. Pour Olivier aussi, cela doit être difficile. Mais il ne le dit pas, il est plus courageux que moi.

Pour me débarrasser de ma tristesse, je vais m'installer dans l'herbe parmi les zébus. À l'ombre des branches, je prends une grande inspiration en regardant autour de moi. J'aime ma région, ses herbes jaunes que le vent agite, le vert des arbres sur le bleu du ciel, le bourdonnement des insectes qui emplit l'air. Je saisis mon carnet et je dessine des fleurs imaginaires. J'adore dessiner des fleurs. Cela me permet de m'évader. Le troupeau qui avance doucement en broutant dans le champ m'apaise.

Chapitre 4

Olivier crie :
— Franklyn ! La traite !

Je le rejoins pour notre dernière tâche de la journée. Nous partons dans les hautes herbes qui entourent la maison et, en criant, nous regroupons le troupeau de zébus.

Mon frère me fait des reproches :
— Tu ferais mieux de faire tes devoirs,

au lieu de dessiner. Il t'en reste beaucoup ?

Je ne réponds pas. Je me promets de les faire demain, quand nous serons arrivés à Betioky.

Dans la lumière mordorée du soir, nous guidons les zébus jusqu'à l'enclos de branches. Ensuite, nous choisissons une vache et je la maintiens immobile pendant qu'Olivier la trait. Je regarde le lait couler dans la bassine de fer. Ça sent bon ! Nos grandes sœurs patientent derrière l'enclos, une cruche de plastique à la main. Je la remplis au fur et à mesure de la traite. Quand nous avons terminé, le ciel est déjà tout rose. Nous rejoignons nos parents à l'intérieur de la maison. Ce soir, ma mère a cuisiné des cacahuètes dans des feuilles de manioc pliées, le tout mijoté dans du lait de coco. C'est délicieux. J'en profite, car pendant la semaine à Betioky, Olivier et moi n'aurons pas grand-chose à manger avec le riz.

Quand il fait nuit dehors, je me couche près de ma mère. Le chant du hibou qui habite notre jardin me berce. On dirait une branche sèche qui craque doucement. Je m'endors le sourire aux lèvres.

Chapitre 5

J e suis déjà réveillé quand le coq célèbre les premiers rayons du soleil. Je suis excité : parcourir les vingt kilomètres qui nous séparent de Betioky est toujours une épreuve, mais j'ai appris à apprécier ce moment que je passe seul avec mon frère. Ma mère a préparé deux sacs de jute pour la semaine. Elle y a mis du manioc séché, des

légumes secs, des pois, des fèves, deux bri-
quets pour le feu, ainsi que nos uniformes
bleu ciel. Au total, chaque sac pèse quinze
kilos !

Olivier et moi buvons notre lait, enfilons
notre unique short et notre tee-shirt et
sortons, nos sacs et nos épis de maïs sur le
dos. Notre père nous attend dans la cour. Il
nous prend dans ses bras et nous embrasse
sur le front.

— Bonne route, les garçons, nous dit-il.

Puis il nous regarde dans les yeux.

— Et faites bien attention quand vous tra-
verserez le Malaingadra. Il y a souvent des
brigands. Ouvrez l'œil !

Nous lui promettons d'être prudents.
S'il nous arrive un problème, nos parents
n'ont aucun moyen de le savoir. Ils nous
attendront toute la semaine sans nouvelles.
C'est seulement lorsque nous reviendrons

à la ferme vendredi soir qu'ils sauront avec certitude que tout s'est bien passé.

Olivier prend la route. Je le suis de près. Les poules nous accompagnent un instant comme pour nous dire au revoir. L'air est chaud, mais le sable est encore frais. La rosée libère l'odeur des herbes et des feuilles. C'est l'odeur du matin. À l'ombre des épines, un caméléon roule ses yeux dans ses orbites.

Nous connaissons le chemin par cœur. Le début du parcours est toujours sympathique. La chaleur est encore supportable et les sacs semblent légers. Nous nous amusons bien. Je n'arrête pas de bousculer Olivier qui tente de faire tenir son sac en équilibre sur sa tête. Il finit par tomber et nous rions en chœur.

Chapitre 6

Autour de la piste de sable, la végétation s'élève. Les herbes sont de plus en plus hautes, les arbres-pieuvres laissent la place aux baobabs et aux flamboyants. Les buissons se transforment en forêts et masquent l'horizon lointain et rassurant de la savane. Mon cœur se serre, j'ai peur : nous entrons dans le Malaingadra.

Olivier coupe à travers les arbustes d'épines jusqu'à une petite colline. Nous nous asseyons parmi les herbes. Le soleil se lève juste en face de nous, auréole la végétation de sa lumière dorée. La main sur le front, nous observons la forêt. Je demande à Olivier :

– Tu vois quelque chose ?

– Non, rien du tout.

Une silhouette apparaît. J'arrête de respirer.

– Là !

Olivier regarde dans la direction que je pointe du doigt. Une ombre se découpe près d'un buisson. Le Malaingadra a très mauvaise réputation. Des histoires terribles circulent sur cet endroit. On raconte que des voleurs attendent les enfants en embuscade et les kidnappent pour revendre leurs organes. On n'en entend alors plus jamais parler.

Olivier a un rire nerveux.

– C'est un tronc, dit-il en désignant la silhouette.

Nous observons quelques minutes de plus. Puis nous nous levons et nous descendons vers la forêt. Nous marchons le plus silencieusement possible. Chaque pas est calculé, soupesé, étudié pour ne pas faire craquer de branches. Par moment, je lève le bras et nous nous arrêtons, le souffle court. Chaque ombre prend la forme d'un brigand, le bruit des feuilles ressemble aux frottements du tissu d'une chemise. Les cactus et les troncs semblent s'animer.

– C'est bon, chuchote Olivier.

Depuis un moment, nous entendons des chiens aboyer au loin. Cela m'inquiète. J'imagine une bande de brigands courant derrière une meute furieuse flairant notre piste. Soudain, un craquement sourd sur notre droite. Vif comme l'éclair, Olivier m'attrape par la manche et s'accroupit. Nous nous immobilisons, le cœur battant. Un autre craquement.

– T'as entendu ? me demande-t-il

– Oui, j'ai entendu. C'est des brigands ?

– Je ne sais pas...

Nous retenons notre souffle. À notre grande surprise, un petit nez pointu apparaît. C'est un tenrec-hérisson ! Il ne nous avait même pas remarqués, occupé à chercher des insectes sous les feuilles. Rassurés, nous reprenons la route.

Je tente de chasser ces idées noires de mon esprit et de garder le rythme. Olivier accélère le pas alors que la forêt s'éclaircit pour faire place à un petit bois de cactus. C'est bientôt la fin du Malaingadra. Nous sommes à découvert pour quelques centaines de mètres, il ne

faut pas se faire repérer. Olivier s'arrête, jette un œil en arrière et repart au pas de course. Je n'aime pas quand il est inquiet comme ça. Cela me fait peur. Un cactus m'accroche le bras. Je sursaute, mais nous n'avons pas le temps de nous arrêter. Il faut sortir de cette zone. Nous courons de toutes nos forces.

Chapitre 7

Le Malaingadra est derrière nous maintenant ! Je me sens moins nerveux. Il reste encore beaucoup de chemin, mais je sais que le plus dangereux est passé. Je retrouve le sourire. Nous coupons à travers la savane pour arriver plus vite à Ambatry. Sur la droite, j'aperçois quelques fruits dans un sapotillier.

– Des fruits !

Olivier les voit aussi et nous nous arrêtons. Cela nous changera du riz ! Olivier tire les branches du sapotillier pour amener les petits fruits verts à sa portée. Je trouve aussi des *lamonty*, des kakis et des *pibasy*. Alors que je m'approche de mon sac pour y disposer ma récolte, Olivier soulève déjà le sien et reprend la route.

Nous traversons une plaine de sable blanc où poussent de fines herbes vertes. Voilà deux heures que nous marchons. Il fait très chaud et le sac que je porte sur mes épaules pèse beaucoup plus lourd que lors du départ. Il me blesse l'épaule. J'ai beau le porter à bout de bras, le changer de côté, je n'arrive pas à trouver une position confortable. Mon frère se retourne. Il se rend compte que j'ai ralenti.

– Marche un peu plus vite, Francklyn !

– Mais je suis épuisé ! J'ai besoin de faire une pause.

– Accélère ! Je ne veux pas rater le betiok à Ambatry !

– Je suis fatigué !

– Ne t'arrête pas !

– J'en ai marre ! Tu ne m'écoutes jamais !

Furieux, je m'assois sur un rocher, envahi d'un profond sentiment d'injustice. Je ne suis pas aussi fort que lui et il ne veut pas en tenir compte. Alors, Olivier fait quelques pas en arrière et me désigne la forêt un peu plus loin.

– Allez, encore un effort, me dit-il d'une voix douce. Je te promets qu'on va faire une pause à l'ombre très bientôt. J'ai repéré un arbre par là-bas la semaine dernière.

Je me souviens que ma mère m'a fait promettre de ne pas nous disputer. Je me lève, un peu boudeur, et je me remets en marche. J'ai mal aux épaules, alors plus vite nous arriverons à l'arbre d'Olivier, plus vite je pourrai me reposer.

Chapitre 8

Je pousse un soupir de soulagement quand nous atteignons l'ombre de l'arbre. Nous posons nos sacs. J'ai l'impression d'être plus léger. Pour compléter notre repas, nous avons l'habitude d'attraper des sauterelles. J'adore ça ! Nous avançons dans les hautes herbes en tapant des pieds, les insectes s'enfuient et nous les attrapons au vol. C'est très amusant à faire, et une fois grillées les sauterelles sont délicieuses ! Dès que nous en avons une, nous lui retirons les pattes arrière pour qu'elle ne s'enfuie pas.

– Tu en as combien ? me demande Olivier.

– Neuf.

– J'en ai trois, c'est assez, je pense.

Je suis tout content d'en avoir capturé autant !

Alors que je pars récolter quelques branches sèches pour le feu, Olivier sort la radio à manivelle de son sac. C'est notre bien le plus précieux. Le petit transistor en plastique vert nous accompagne toute la semaine. Sa voix nous berce quand nos parents nous manquent et que nous avons le coco-kibo. Les nouvelles en français emplissent la savane. Le français est la seconde langue officielle de Madagascar, mais dans la réalité peu de Malgaches le parlent. Olivier et moi

étudions en malgache. À la maison, c'est encore une autre histoire : nous appartenons
à la tribu Mahafaly Antalaotra, alors nous
alternons entre le malgache et le mafale, le
dialecte de notre région.

J'enfile les sauterelles côte à côte sur une
branche. Olivier chiffonne un morceau
de journal qu'il glisse sous le petit bois.

Grâce à un briquet, il allume le feu. Je dépose les sauterelles sur les flammes.

– Tu as fini tes devoirs ? me demande mon frère.

– Quels devoirs ?

– Tes devoirs d'histoire.

– Non.

– Tu comptes les finir quand ?

– Quand j'aurai le temps.

Nous dévorons les sauterelles. Puis nous nous partageons les fruits que nous avons ramassés plus tôt. Cette pause me fait du bien. Quand nous repartons, mes épaules ne me font plus souffrir. Nous accélérons le pas pour arriver le plus vite possible à Ambatry.

Chapitre 9

Quelle chance! À Ambatry, le betiok est encore là. Le betiok, c'est le nom qu'on donne au taxi-brousse qui transporte les gens de la région jusqu'à Betioky. Et comme il n'y en a pas beaucoup, les gens ne veulent pas le rater. Ils voyagent parfois accrochés à l'arrière du véhicule! C'est dangereux, mais tout le monde fait ça ici.

Je prends place sur le siège à l'avant, près du conducteur. C'est ma place préférée. On voit la route défiler à travers le pare-brise. Mais pour l'instant, nous attendons. Assis sur un cageot en plastique au bas des marches du taxi-brousse, le chauffeur patiente en fumant une cigarette. Il ne partira pas tant que toutes les places ne seront pas vendues. Une foule multicolore monte peu à peu dans le betiok. Une femme qui se rend à l'hôpital de Betioky avec son bébé, un fermier et les quelques poules qu'il souhaite vendre au marché. Le véhicule s'emplit doucement de discussions, de cris et de caquètements. Les odeurs de vêtements, de cigarettes et d'animaux se mêlent à celle de l'essence du bus.

Le taxi-brousse est enfin complet! Comme prévu, quelques personnes se sont accrochées à l'arrière, les pieds sur le pare-choc. Le betiok s'ébranle et nous

prenons la route, sur la piste de terre. Les
mouvements du véhicule me bercent. Cela
fait du bien d'être assis après avoir marché
huit kilomètres ! À travers la vitre, les
acacias semblent s'écarter à notre passage.
Ils dévoilent un paysage partagé entre
le vert des arbres et le rouge de la terre.
Nous traversons de petits villages dont les

maisons sont recouvertes par la végétation.

Un obstacle empêche le betiok de continuer sa route. Une charrette et deux zébus sont bloqués au milieu d'un pont. Le chauffeur descend pour aider le propriétaire. Têtus, les deux animaux refusent de faire demi-tour. Quelques passagers du betiok descendent à leur tour. Bientôt, ce sont cinq hommes qui tentent de remettre les zébus dans le droit chemin à la force de leurs bras et de leurs encouragements.

Nous repartons. Je sors mon carnet de mon sac et je dessine un champ de fleurs.

Chapitre 10

Le betiok entre enfin dans Betioky. Olivier me lance un sourire : nous sommes à l'heure. C'est une bonne nouvelle, car notre journée est loin d'être terminée. Il nous reste encore des tas de choses à faire avant la nuit. Betioky est le chef-lieu de la région. Les maisons aux murs multicolores portent sur leurs toits le feuillage paresseux des arbres environnants comme de grands chapeaux. Il y a tant de monde sur la chaussée que le chauffeur du betiok doit klaxonner en permanence pour trouver un passage.

Pas de temps à perdre, à peine sortis du bus, nos sacs sur l'épaule, nous nous précipitons au marché. Comme il n'a lieu qu'une fois par semaine, une foule d'habitants se déplace entre les stands. Certains ont disposé des tables et des bâches pour protéger leurs produits du soleil, mais beaucoup de vendeurs sont assis à même le sol. Les odeurs de nourriture me font monter l'eau à la bouche. J'aime le désordre qui règne sur le marché : le brouhaha des vendeurs qui hèlent les passants, les négociations houleuses.

Nous nous rendons au stand qui vend le pétrole pour notre lampe. La marchande pose un entonnoir en plastique sur une bouteille de soda et, à l'aide d'une louche fabriquée à partir d'une vieille boîte de conserve, nous verse de quoi éclairer notre case pour les cinq jours à venir. Je sors l'argent de ma poche. Il nous reste de quoi acheter un peu de farine, du sel et du riz.

Olivier s'arrête devant le stand de viande. Nous regardons les quartiers de zébu avec envie. Mais nous savons bien que nous n'avons pas de quoi nous les offrir. Alors, le ventre gargouillant, nous quittons le marché pour nous rendre à la case que nos parents louent dans la ville.

Chapitre 11

La lumière du soir a pris la couleur orangée du sable quand nous arrivons près de notre case. Je suis heureux de pouvoir enfin poser mon sac. Mais il n'est pas encore temps de se reposer. Il n'y a pas l'eau courante dans notre petite habitation. Ce sont juste quatre murs de terre. Nous avons installé deux nattes et notre petite radio verte au centre de la pièce. Nous devons nous rendre à la rivière pour nous approvisionner en eau et laver nos uniformes.

La rivière ressemble à une longue bande sèche où poussent des roseaux. Il n'y a pas d'eau en surface. Elle serpente sous le sable. Déjà, des familles et des enfants disséminés sur la largeur du fleuve asséché remplissent leurs bidons dans les larges trous qu'ils ont creusés à mains nues. C'est pénible de faire tous ces efforts, mais on est sûr que l'eau, filtrée par le sable, est potable. C'est pourquoi cet endroit attire beaucoup de villageois.

Accroupi devant la bassine, je la remplis à l'aide des seaux. Olivier et moi lavons chacun notre propre uniforme. Selon les conseils de notre mère, nous essayons de nous répartir les tâches ménagères le plus équitablement possible. C'est la garantie d'éviter les

disputes inutiles. Je frotte énergiquement ma chemise bleu ciel, puis je vais l'étendre au soleil sur les roseaux. Pendant qu'elle sèche dans la lumière du soir, j'en profite pour me laver de la poussière accumulée pendant le trajet. C'est tellement agréable de sentir la caresse de l'eau sur mon corps. C'est seulement lavé, quand mes doigts ressentent la douceur de mes paumes, que je me rends compte à quel point j'étais couvert de sable. Je me sens mieux.

— Il fait bientôt nuit, dépêchons-nous ! fait remarquer Olivier.

Il décroche les uniformes et les dépose dans la bassine. J'accroche les deux seaux remplis d'eau à un bâton que je place sur mes épaules. Leur poids ravive la douleur de notre longue marche de la journée. Mais je ne dis rien, je suis pressé de dîner.

Chapitre 12

Quand nous arrivons chez nous, la nuit est tombée. Olivier allume la lampe à pétrole et entreprend de faire un feu devant la case pour cuisiner notre repas. Pendant ce temps, je passe un coup de balai à l'intérieur. La journée a été longue, je suis épuisé. Je passerais bien le dîner pour aller me coucher directement.

Mais Olivier a bonne mémoire.

– Dis, Francklyn, il ne te restait pas des devoirs ?

– Si.

– C'est quand ton interro ?

– Demain matin.

– Tu devrais réviser pendant que je fais la cuisine.

Olivier a raison, le riz et le manioc qui cuisent dans la marmite sont le fruit du travail de nos parents. Je dois être courageux et les rendre fiers de moi. Alors, j'ouvre mon cahier et je me concentre du mieux que je peux sur ma leçon. Je sais que lorsque j'aurai fini je serai content de moi et que je dormirai mieux.

Il est vingt heures quand le repas est enfin prêt. L'odeur du riz réveille la faim que mon sentiment de fatigue m'avait fait oublier. Olivier et moi nous asseyons près de la marmite et, munis d'une cuillère chacun, mangeons à même le plat. Nous passons le dîner en silence. Je pense au lendemain, à ce qui m'attend en classe. Au fur et à mesure que je mange, l'envie de dormir m'envahit. Mes paupières pèsent le poids d'un zébu. Nous terminons le riz et entrons dans la case.

Nous déroulons nos nattes et nous allongeons sur le sol. Je prends alors conscience de notre solitude. Cette semaine loin de mes parents va être longue. J'ai à nouveau le coco-kibo. Olivier souffle la lampe et, bientôt, la fatigue l'emporte sur ma tristesse. Je sombre dans un sommeil sans rêves.

Chapitre 13

O livier et moi nous réveillons à l'aube, car notre premier cours est à sept heures du matin. La ville s'est levée avant nous. À travers la mince porte de bois, on entend le caquètement des poules, le grincement des roues des charrettes à zébus, les bonjours et les rires.

À la lumière de la lampe à pétrole, nous

mangeons du riz et buvons un peu de thé pour prendre des forces. Puis nous fourrons nos cahiers dans nos sacs à dos et prenons le chemin de l'école. Il fait déjà chaud. Betioky fourmille de passants qui se croisent en se saluant. Je ne suis pas encore tout à fait réveillé. Les mains dans les poches de ma blouse d'uniforme bleue, je marche machinalement vers l'école, l'esprit encore embrumé par la nuit.

Nous arrivons juste à temps pour la levée du drapeau. Je me place dans la colonne de ma classe, Olivier dans la sienne. Le drapeau s'élève doucement le long de son mât. À l'unisson, les élèves entonnent l'hymne national malgache.

– «Ô terre de nos ancêtres bien-aimée, ô belle Madagascar, notre amour pour toi ne faillira jamais et restera à ta cause éternellement fidèle...»

Quelques camarades se tournent vers moi et m'adressent un petit signe de tête. Ils sont contents de me voir et je suis heureux de les retrouver. Je souris. La route a été longue hier, mais je suis fier d'être là. Nous entrons dans l'école en file indienne. La salle de classe est trop petite pour permettre aux soixante élèves de s'asseoir à une table. Je m'installe par terre, en tailleur entre deux pupitres. La semaine peut commencer !

POUR EN SAVOIR PLUS...

Où vit Francklyn ?

Francklyn vit à **Madagascar**, une des plus grandes îles du monde. Elle se trouve dans l'**océan Indien**, à l'est de l'Afrique, et à plus de 8 500 kilomètres de la France.

Le village de Francklyn est situé en pleine savane, dans une région chaude et sèche. Les paysages de Madagascar sont très variés : des forêts tropicales, de la **savane** sèche, des plages de sable, des montagnes, des allées de baobabs... Sur cette île à la nature incroyable, on trouve de nombreux **animaux** et **plantes** qui n'existent **nulle part ailleurs** dans le monde !

Au fil des siècles, Madagascar a été peuplée par des personnes venant d'Afrique, d'Indonésie, du Proche-Orient, d'Europe... Aujourd'hui, la population est composée de plus de **18 ethnies** différentes.

Que mange-t-on à Madagascar ?

On retrouve dans la nourriture malgache l'influence de la cuisine asiatique, indienne, arabe et africaine. Un repas typique est composé d'**un seul plat**, souvent à base de **riz**, comme le traditionnel *romazava* : un ragoût de porc ou de zébu, cuit avec des herbes.

Les Malgaches produisent du manioc, du riz, de la canne à sucre, du café, de la vanille, des clous de girofle, qu'ils exportent vers l'Europe et les États-Unis. Ils élèvent des bovins pour leur viande, ils vendent le poisson de leurs pêches... Mais malgré toutes ces **richesses naturelles**, Madagascar reste un des pays les plus **pauvres** du monde.

FRANCE

MADAGASCAR

L'info en +

À l'école, les cours se font en malgache, la langue de Madagascar, et aussi en français, la deuxième langue officielle du pays.

Est-ce que tous les enfants vont à l'école ?

À Madagascar, l'école est **mixte** et **obligatoire** entre 6 et 14 ans.

Beaucoup d'enfants ne vont pas au **lycée** parce qu'ils n'obtiennent pas leur BEPC (le brevet des collèges). C'est difficile de bien étudier quand on vit **loin de ses parents** toute la semaine, comme Francklyn et son frère.

Un haut clair et un bas noir ou foncé : tous les élèves malgaches portent un **uniforme** pour aller à l'école.

Comment se déroule
une journée d'école?

L'école débute normalement à 6 heures 30 le matin. Mais le premier cours ne commence souvent qu'à 7 heures car les enfants qui habitent loin ne peuvent être là avant.

Le lundi matin, tous les élèves se rassemblent pour chanter l'**hymne national** et assister à la **levée de drapeau**.

Il n'y a pas de cantine : Francklyn et son frère rentrent **déjeuner** dans leur **case**. Comme eux, beaucoup d'élèves du collège habitent une petite maison en ville et ne voient leurs parents que le week-end.

La journée d'école se termine à 16 heures. Mais souvent, les enfants ne peuvent pas assister à plus de 4 heures de cours par jour, parce qu'il n'y a pas assez de professeurs ni de salles de classe pour les **850 élèves**.

Table des matières

LES CHEMINS DE L'ÉCOLE

Une série télévisée

Les chemins de l'école est une série télévisée inspirée du film documentaire *Sur le chemin de l'école* de Pascal Plisson, qui a connu un très grand succès et remporté plusieurs prix prestigieux.

Des romans vrais

Devi, Erbol, Francklyn, Ani vivent à des milliers de kilomètres les uns des autres, mais partagent le même espoir d'un avenir meilleur grâce à l'éducation. À cheval, à vélo, sur l'eau ou à pied, sous la canicule ou dans un froid glacial, leurs péripéties à travers le monde pour rejoindre l'école nous font découvrir des lieux où accéder au savoir est encore une aventure.

Une association

L'association *Sur le chemin de l'école* aide à la scolarisation d'enfants à travers le monde. L'achat de ce livre contribue au développement de l'association.
Pour en savoir plus : **www.surlechemindelecole.org**

N° éditeur : 10241315
Achevé d'imprimer en mars 2017
par Loire Offset Titoulet (42000 Saint-Etienne, France)
N° imprimeur : 2017102406